피듀니아,
공부를
시작하다

암거위 피튜니아 이야기 ❶

피튜니아, 공부를 시작하다

로저 뒤봐젱 그림/글 · 서애경 옮김

시공주니어

피튜니아는 하는 짓이 어수룩해서 맹추라고 놀림을 받는 암거위야. 어느
이른 아침에, 이 맹추 피튜니아가 목장을 산책하고 있었어. 피튜니아는
이리저리 돌아다니면서, 딱정벌레를 잡아먹기도 하고 클로버 이파리를
물어뜯기도 하고 풀 이파리에 맺힌 이슬 방울을 쪼기도 했지…….

그런데, 갑자기 풀밭에 웬 낯선 물건이
눈에 띈 거야. 저게 뭘까?

피튜니아는 한 발짝 한 발짝 다가가서,
요리조리 냄새를 맡아 보았어.

"거위의 직감으로 보건대, 이건 먹을 것은 아니야.
하지만 본 적이 있는 물건 같은데……."

"옳아, 주인 집 아들 빌이 학교에서
돌아올 때에 옆구리에 끼고 오는 것을
보았어. 이건 책이야. 그래 맞아. **책이야!**"

"이제 생각난다. 바로 며칠 전에 펌킨 씨가 빌에게 책은 아주 소중한
것이랬지. 펌킨 씨가 그랬잖아. 책을 지니고 있고 책을 사랑하는 사람은
지혜롭다고."

"책을 지니고 있고 책을 사랑하는 사람은 지혜롭다." 피튜니아는 이 말을 곱씹어 보았어. 그리고 한참 동안 끙끙거리며 머리를 쥐어짜 냈지. 마침내 피튜니아는 이렇게 말했어. "좋아, 이 책을 들고 다니면서 애지중지하면 나도 지혜로워질 수 있을 거야. 그럼 이담부턴 아무도 나를 맹추라고 부르지 못하겠지."

피튜니아는 책을 집어 들고 그 자리를 떠났어.

피튜니아는 책을 깔고 잠들기도 했고　　책을 부리에 물고 헤엄을 치기도 했어.

게다가, 자기가 정말로 지혜로운 줄 알고 교만해지기까지 했는데,

교만해지고　　　　　　더 교만해지고　　　　　그러고도 더 교만해져서

목을 잔뜩 늘여 빼고 다녔지.

피튜니아가 달라진 것을 처음으로 눈치챈 동물은 목장의 대장인 수탉이었어.
수탉은 이렇게 말했어. "피튜니아는 이제 맹추가 아닌 것 같아. 책을 지니고
다니잖아. 정말로 똑똑해졌나 봐." 다른 동물들도 피튜니아가 지혜로워졌다고
믿게 되었어. 동물들은 피튜니아에게 도와 달라고 했고, 피튜니아는 기꺼이
그렇게 했지. 부탁받지 않은 것까지도.

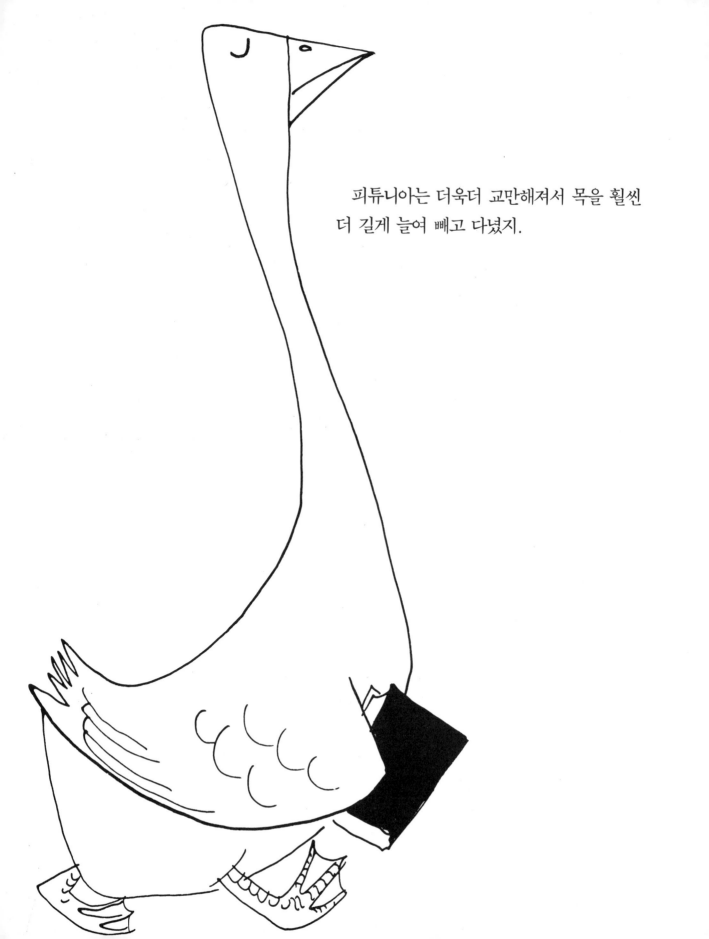

피튜니아는 더욱더 교만해져서 목을 훨씬
더 길게 늘여 빼고 다녔지.

어느 날 피튜니아는 암소 클로버가 목장의 대장인 수탉에게 하는 얘기를
들었어. "난 대장의 벗이 왜 그렇게 빨간지 궁금해요. 외양간 색깔처럼
빨갛잖아요."

수탉이 말했어. "내 피 때문이야. 내 피 색깔이 빨갛잖아."

클로버가 말했지. "말도 안 돼요. 내 몸에도 피가 흐르고 있어요.
하지만 난 빨갛지 않잖아요. 그 벗을 외양간을 칠하는 빨간 페인트 통 속에
빠뜨렸기 때문에 그렇게 빨개진 거라고요."

피튜니아가 끼여들었어. "둘 다 정말 바보로군요. 대장, 주인 아저씨가
수탉과 암탉을 구별하려고 대장한테 벗을 붙여 놓은 거예요. 알을 낳는 게
누구고 알을 못 낳는 게 누군지 알아볼 수 있게요. 아마 플라스틱 벗일걸요."
수탉은 이 말을 듣고 나서부터는 꼬끼오 하고 울 때에 벗이 떨어질까 봐
다시는 자랑스럽게 벗을 흔들어 대지 못했단다.
가엾은 수탉은 슬픔에 빠지고 말았어.

피튜니아가 할 일은 또 있었지.

암탉 이다가 닭장 안에서 병아리 떼에 둘러싸여 흥분해서 꼬꼬거리고
있는 거야. 이다가 말했어. "아, 피튜니아로구나. 애들이랑 같이 숲으로
산책 나갔다 왔는데 아무래도 몇 마리를 잃어버린 것 같아. 주인 아저씨
말로는, 우리 애들이 모두 아홉 마리라는데, 난 잘 셀 줄 모르거든. 똑똑한
피튜니아야, 우리 애들이 모두 돌아왔는지 세어 주겠니?"

피튜니아가 말했지. "기꺼이 도와 드리지요, 흠, 어디 보자, 물통에 세 마리가 있고, 모이통에 세 마리가 있고, 아줌마 발치에도 세 마리가 있네요. 자, 세 마리 곱하기 세 마리는? 여섯 마리네요……"

이다가 물었어. "여섯이라고? 여섯! 그게 아홉보다 작은 거니?"

피튜니아가 대답했어. "그건 아홉보다 크죠. 작은 게 아녜요. 훨씬 더 커요!"

"아홉 마리도 넘는다고? 세상에! 아홉 마리 키우기도 너무 벅찬데. 다른 애들은 대체 어디서 온 것일까? 오, 이런, 난 이제 어떡하라고."

가엾은 이다 아줌마는 근심에 싸이고 말았어.

피튜니아가 할 일은 또 있었지.

목장에서 개 노이지가 구멍에 머리를 처박고 소리를 지르고 있는 거야.

노이지가 외쳤어. "도와 주세요! 도와 줘요! 토끼 굴에 머리가 박혀서 빠지지 않아요. 도와 줘요!"

피튜니아가 말했단다. "기꺼이 도와 줄게. 좋은 꾀가 있어. 사냥꾼들이 굴에서 안 나오려고 기를 쓰고 버티는 동물을 밖으로 끌어 낼 때에 쓰는 방법이 있거든. **연기**를 피워서 끌어 내는 거야. 내가 나뭇가지랑 성냥 개비를 가져올게 기다려."

똑똑한 피튜니아는 굴의 다른 쪽 구멍에 불을 붙이고 책으로 슬슬
부채질을 했어.

피튜니아의 꾀는 아주 근사하게 효력을 발휘했지. 노이지가 연기
때문에 숨이 막혀서 구멍에서 머리를 홱 잡아 빼고는 비명을 지르며 멀리
달아났거든. 노이지의 코는 불에 그을리고 귀는 찢기고 멍이 들었어.

가엾은 노이지는 끙끙 앓았어.

피튜니아가 할 일은 또 있었지.

울타리 옆에서는 말 스트로가 치통으로 고생하고 있었어.

스트로는 앓는 소리를 했어. "피튜니아, 난 정말 죽을 것 같아. 넌 똑똑하니까 틀림없이 이 끔찍한 고통을 멎게 해 줄 수 있을 거야."

피튜니아가 말했어. "기꺼이 도와 줄게. 입을 벌려 봐. 이런…… 가엾은 스트로…… 이 이빨 좀 봐! 그러니 치통이 생기는 게 뻔하지."

"나를 보렴. 이빨이 있니? 틀림없이 없지. 그래서 나는 치통도 생기지 않는단다. 내가 네 치통을 금세 멎게 해 줄게. 그 이빨을 **다** 뽑아 버리면 되거든. **몽땅** 말이야. 내가 집게를 가져올게……."

하지만 스트로는 피튜니아의 집게 처방을 거절했어. 스트로는 이빨이 뽑힐까 봐 무서워서 아무에게도 더는 이빨이 아프다고 말하지 못했지. 스트로는 입을 꾹 다물고 아픔을 견뎌 냈어.

가엾은 스트로는 절망에 빠지고 말았어.

피튜니아가 할 일은 또 있었지.

아기 고양이 코튼이 나무 위로 올라갔다가 내려올
수가 없었어. 코튼은 야옹야옹 울고 있고, 코튼의
친구들이 피튜니아를 찾아왔어.

피튜니아가 말했지. "기꺼이 도와 줄게. 나한테
방법이 있어. 아무도 코튼에게 닿을 만큼 키가 크지
않으니까 모두 힘을 합해야 해. 암소 위에 당나귀가
올라서고, 당나귀 위에 돼지가 올라서고, 그렇게
계속해서 올라서면 되잖아. 간단해."

당나귀는 암소 위에,
돼지는 당나귀 위에,
염소는 돼지 위에,
양은 염소 위에,
아기 돼지는 양 위에,
칠면조는 아기 돼지 위에,
오리는 칠면조 위에,
암탉은 오리 위에 올라섰는데……
갑자기 암소가 소리쳤어.
"그만! 내 다리가 휘청거려."
암소는 풀썩 주저앉아 버렸어……

당나귀와 다른 동물들도
그만 와르르 무너져 내렸지.
코튼도 어찌나 겁에 질렸던지
그만 나무에서 떨어지고 말았어.
모두들 쿵 하고 부딪고 야단이
났단다.
피튜니아가 말했어. "봐,
내려왔잖아."
가엾은 아기 고양이는 멍이
들고 말았어.

피튜니아가 할 일은 또 있었지. 피튜니아는 날이 갈수록 더욱더
교만해져서 목을 한껏 더 높이 쑥 뽑고 다녔어.

피튜니아는 목장을 거닐다가 동물 친구들이 웬 상자를 둘러싸고 있는
것을 보았어.

친구들이 소리쳤어. "아, 똑똑한 피튜니아구나. 길 옆 도랑에서 이
상자를 발견했어. 아무래도 먹을 거 같아. 뭐라고 적혀 있는지 읽어 줄래?"

피튜니아가 말했지. "기꺼이 도와 줄게. 응, 어디 보자……. 음, **사탕**.
사탕이라고 적혀 있어. 맞아, 사탕이야. 이건 먹어도 되는 거야. 그럼,
당연히 먹을 수 있는 거야."

순식간에 입 일곱 개가 와락 달려들어 그 상자를 찢고 사탕을 낚아
채어 갔는데……

동물들 꼴 좀 봐!

불에 그을린 동물이 있네.

상처를 입은 동물도 있고.

스트로는 여전히 입을 꾹 다물고 신음하고 있었어.
노이지도 여전히 끙끙거리고 있었고.
이다도 여전히 병아리들을 걱정하고 있었지.
대장도 여전히 근심에 잠겨 있었고.

목장 앞마당에는 골칫거리투성이였어. 이게 모두 다 피튜니아 때문이지.

피튜니아의 교만함과 지혜는 폭죽과 함께 날아가 버렸어.

피튜니아는 예전처럼 쪼그라든 목에 붕대를 친친 동여맸어. 피튜니아는
자기가 조금도 지혜롭지 않다는 것을 깨닫고 몹시 풀이 죽었지.

피튜니아는 갑자기 책을 흘긋 보았어. 폭죽에 날려 책장이 펼쳐져 있었어. 그 전에는 책을 펼쳐 본 적이 없었지. 피튜니아는 그 책에 자기가 전혀 읽을 수 없는 말이 쓰여 있는 것을 알게 되었어. 피튜니아는 주저앉아서 생각하고, 생각하고, 또 생각하다가 끝내 한숨을 내쉬었단다. "이제 알았다. 지혜는 날개 밑에 지니고 다닐 수는 없는 거야. 지혜는 머리와 마음 속에 넣어야 해. 지혜로워지려면 읽는 법을 배워야 해."

피튜니아는 뛸 듯이 기뻤어. 언젠가는 정말로 지혜로워지려고 당장 읽는
법부터 배우기 시작했지. 피튜니아가 정말로 지혜로워지면 친구들을 도와서
행복하게 해 줄 수 있을 거야.

로저 뒤봐젱(1904~1980)

개성 있고 코믹한 동물 캐릭터를 만들어 내어 이름을 떨친 일러스트레이터이다. 스위스에서 태어나 미국으로 이주했으며,
다니던 회사가 파산하여 실업자가 되자 아들에게 보이려고 만든 그림책을 시험삼아 출판사에 보낸 것이 그림책 작가로 데뷔하는 계기가 되었다.

서애경

한국외국어대학교 스페인어학과를 졸업했다. 옮긴 책으로는 《피튜니아, 여행을 떠나다》, 《마이크 멀리건과 증기 삽차》, 《해럴드 시리즈》 들이 있다.

피튜니아, 공부를 시작하다

지은이 / 로저 뒤봐젱(그림/글)
옮긴이 / 서애경
초판 제1쇄 발행일 / 1995년 6월 30일
초판 제14쇄 발행일 / 2003년 9월 5일
발행인 / 전재국 발행처 / (주)시공사
주소 / 137-070 서울시 서초구 서초동 1628-1
전화 / 영업 598-5601 편집 588-3121
인터넷 홈페이지 www.sigongsa.com

PETUNIA by Roger Duvoisin
Copyright ⓒ 1950 by Alfred A. Knopf, Inc., New York
Korean translation copyright ⓒ 1995 by Sigongsa Co., Ltd.
This Korean edition was published by arrangement with Alfred A. Knopf, Inc.,
New York through ShinWon Agency, Seoul.

ISBN 89-7259-202-1 77840